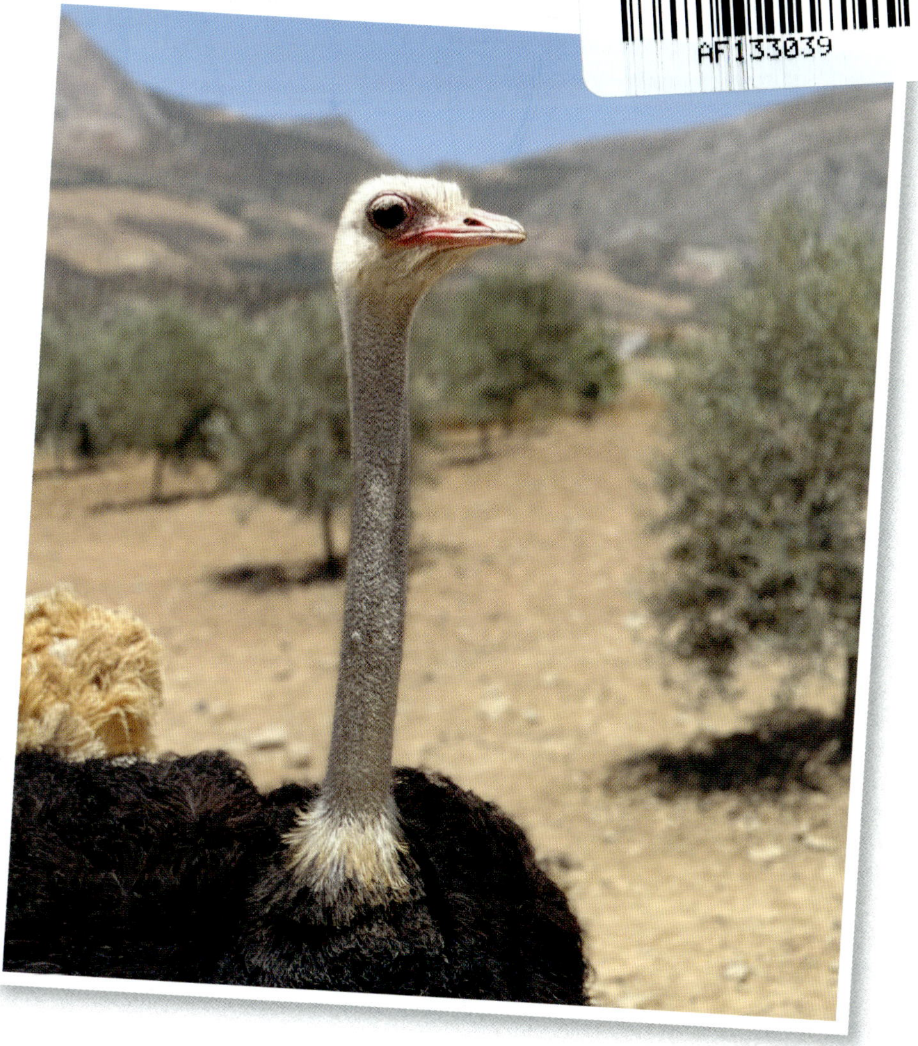

An ostrich

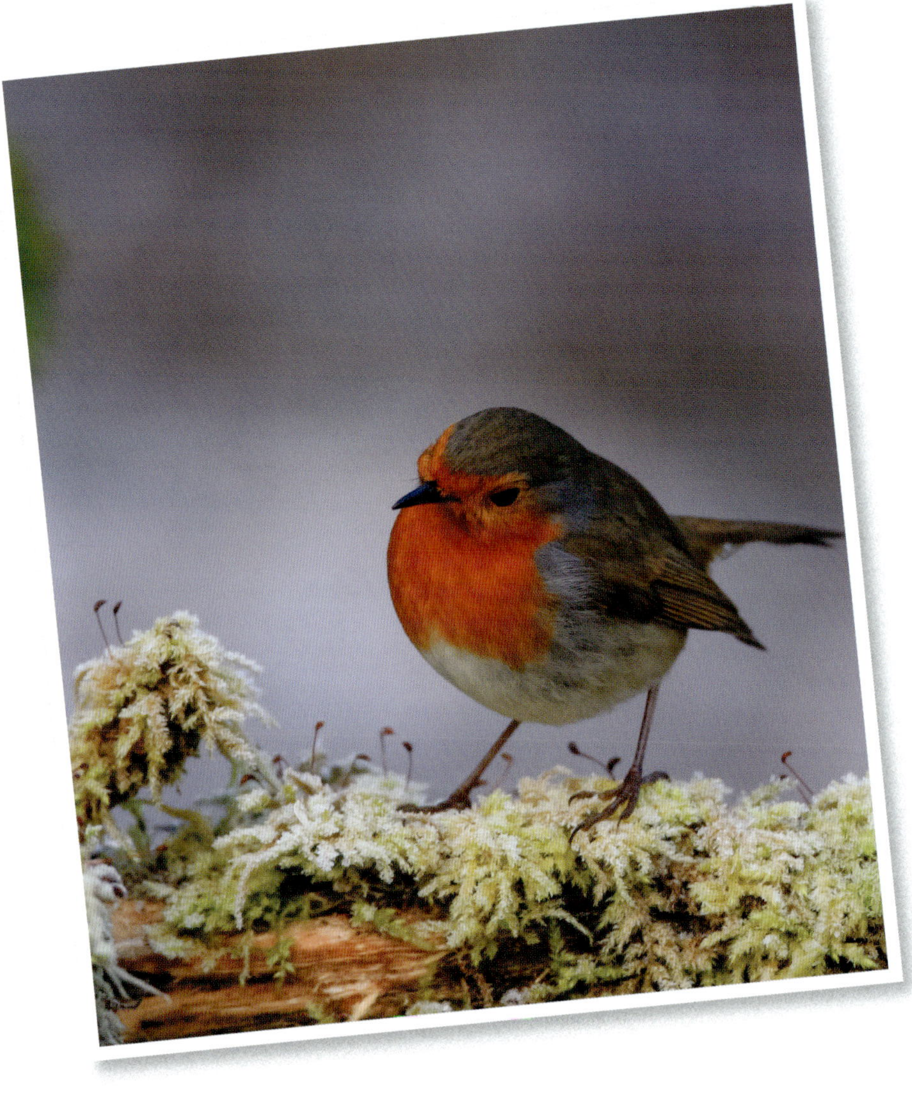

a robin

a parrot

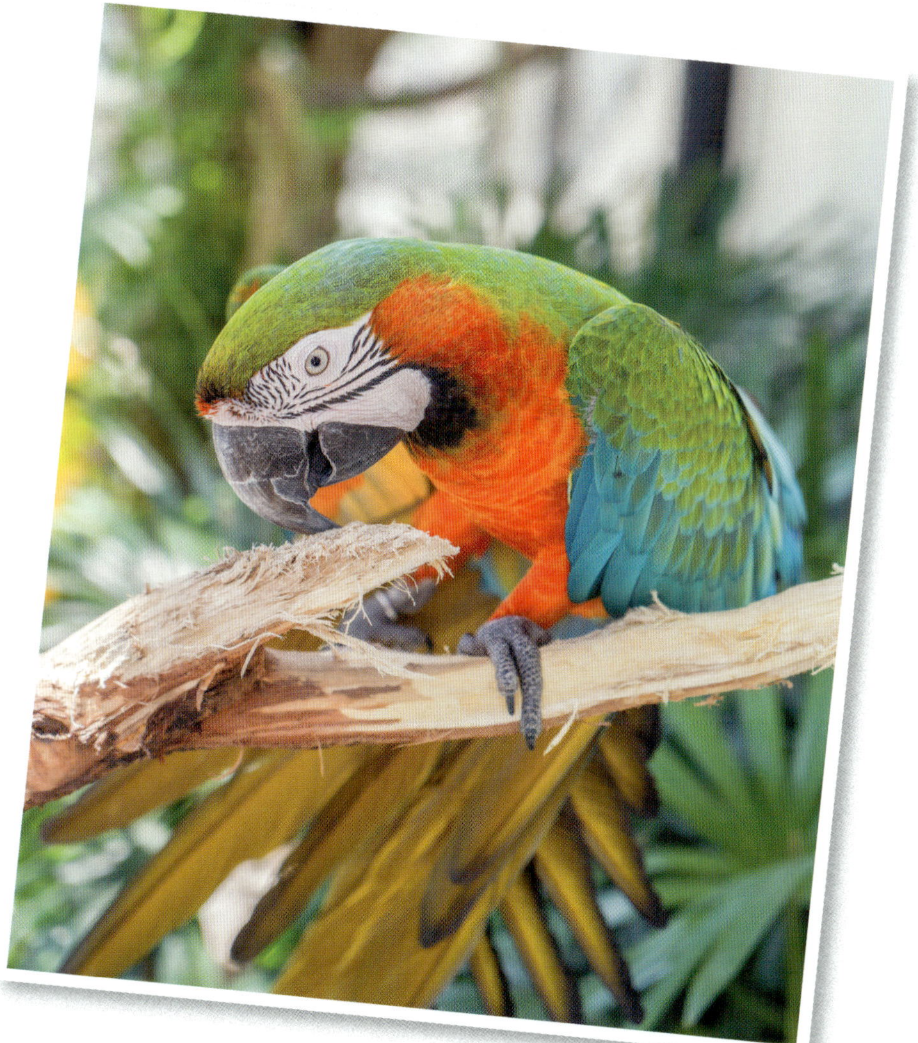

a goose

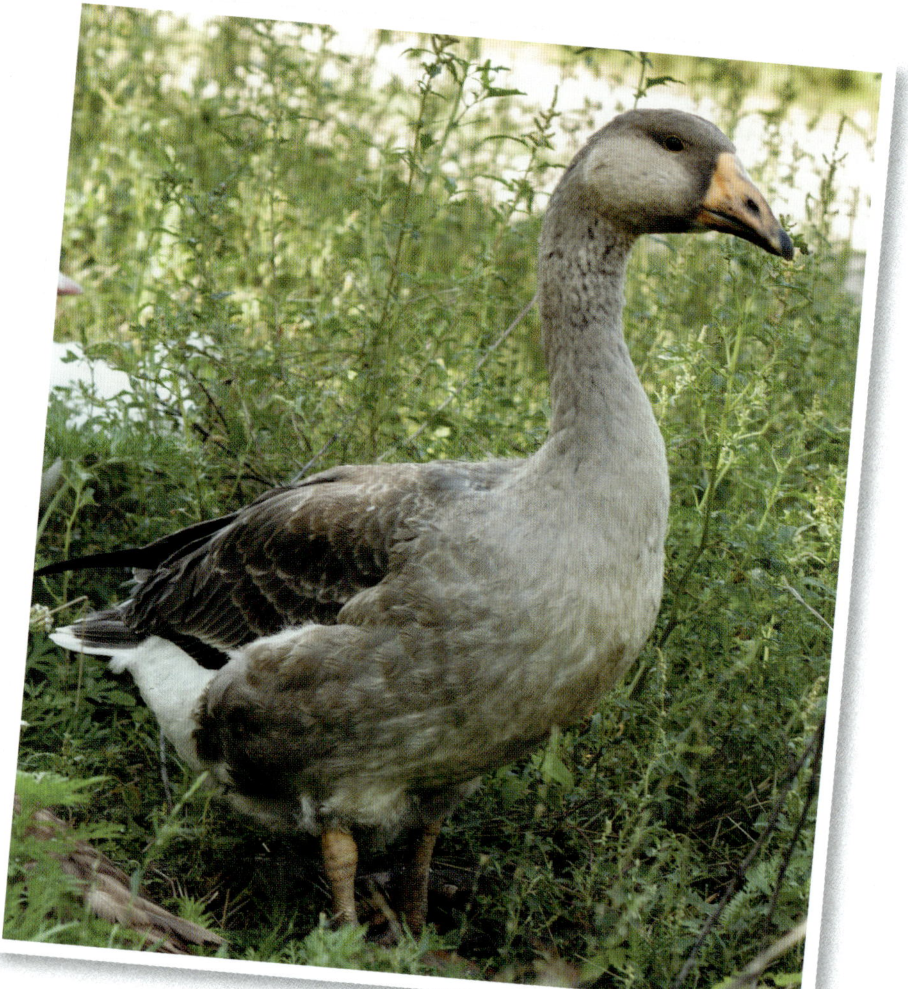

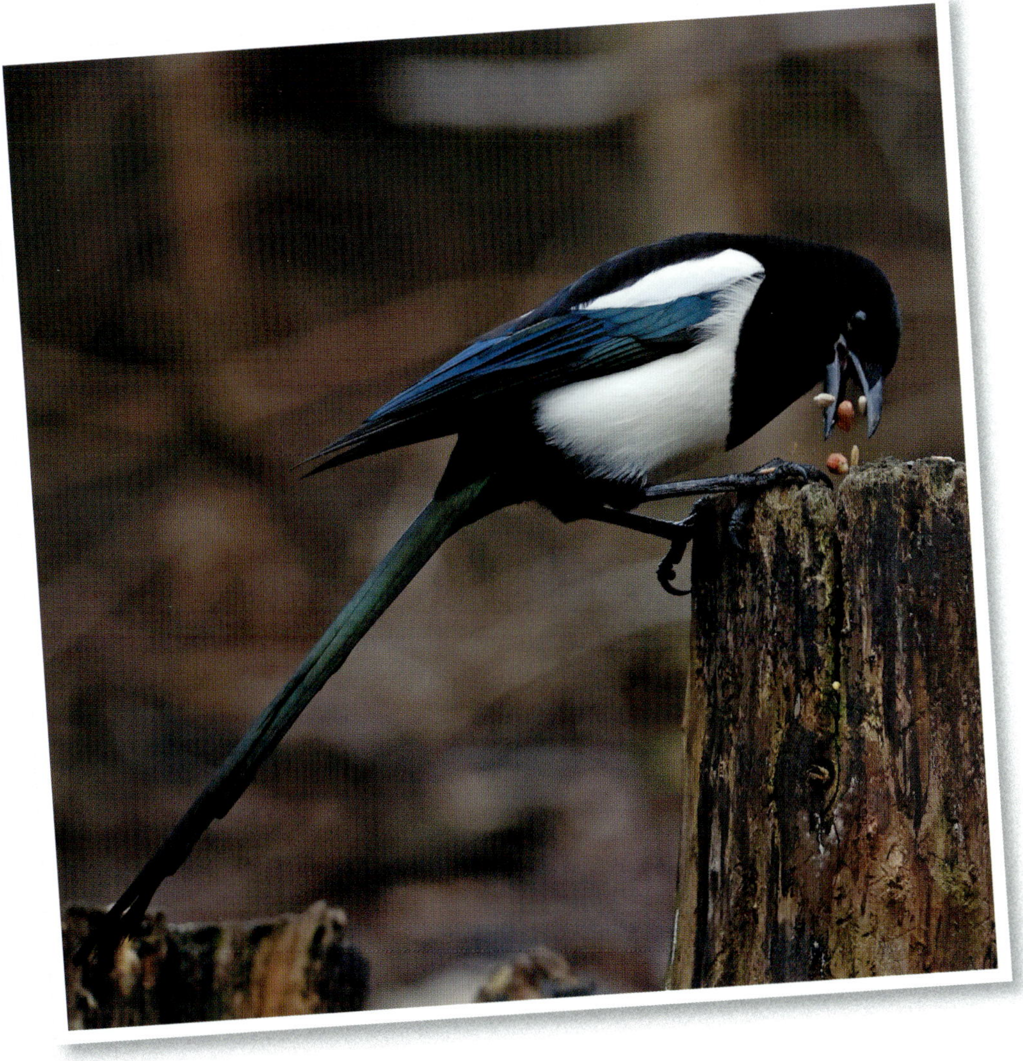

a magpie

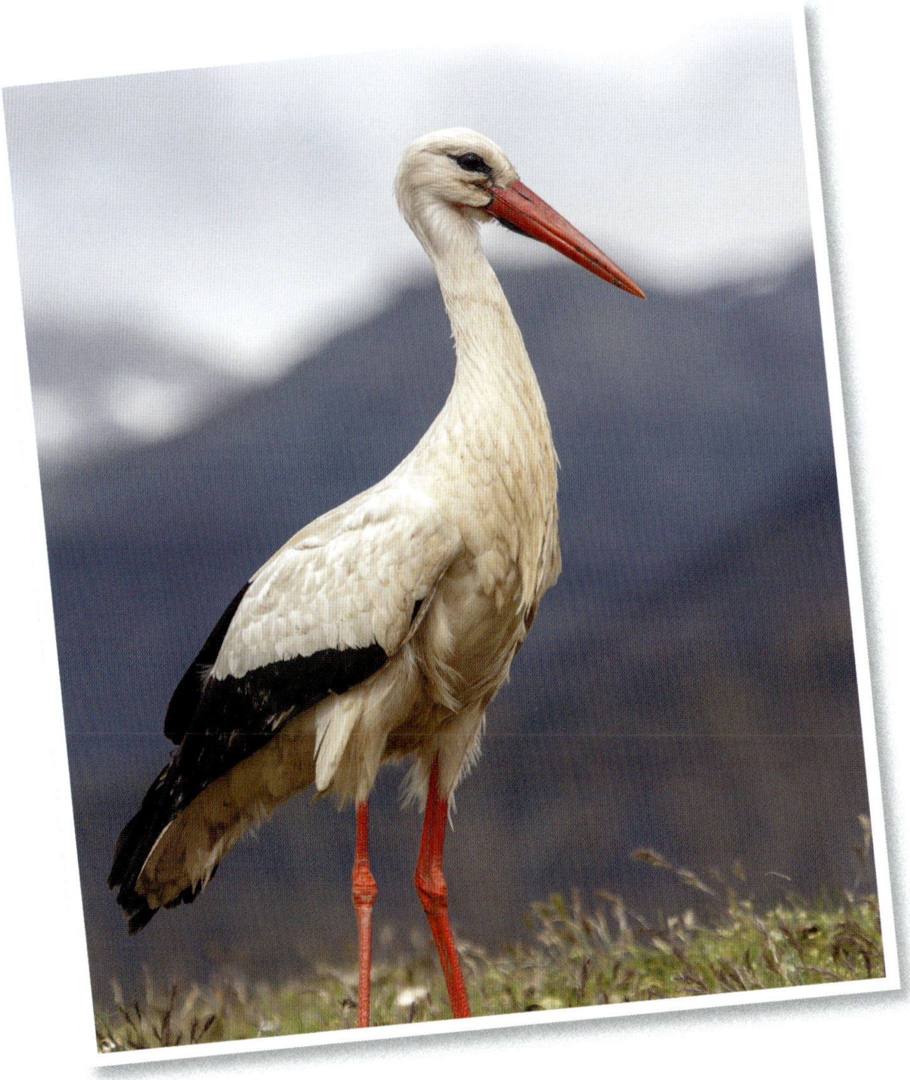

a stork

A herring gull...

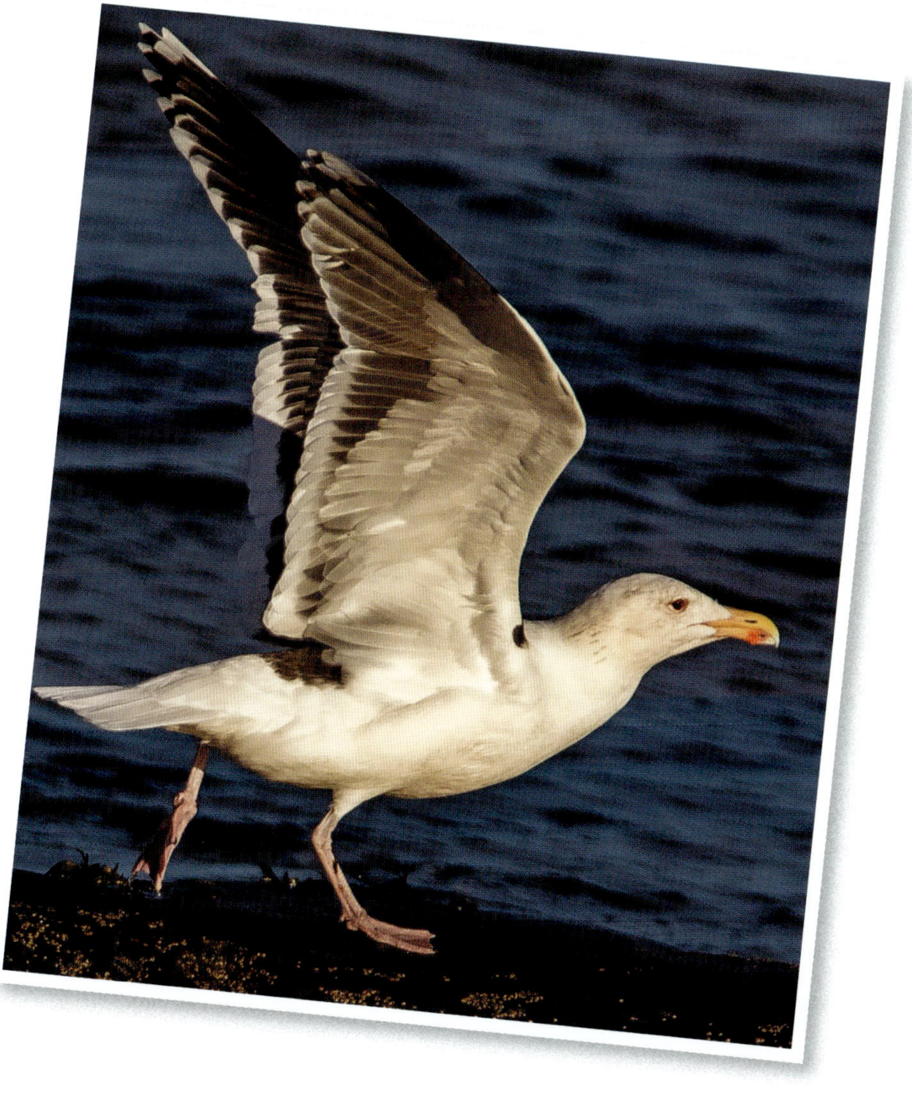

grabs a fish!

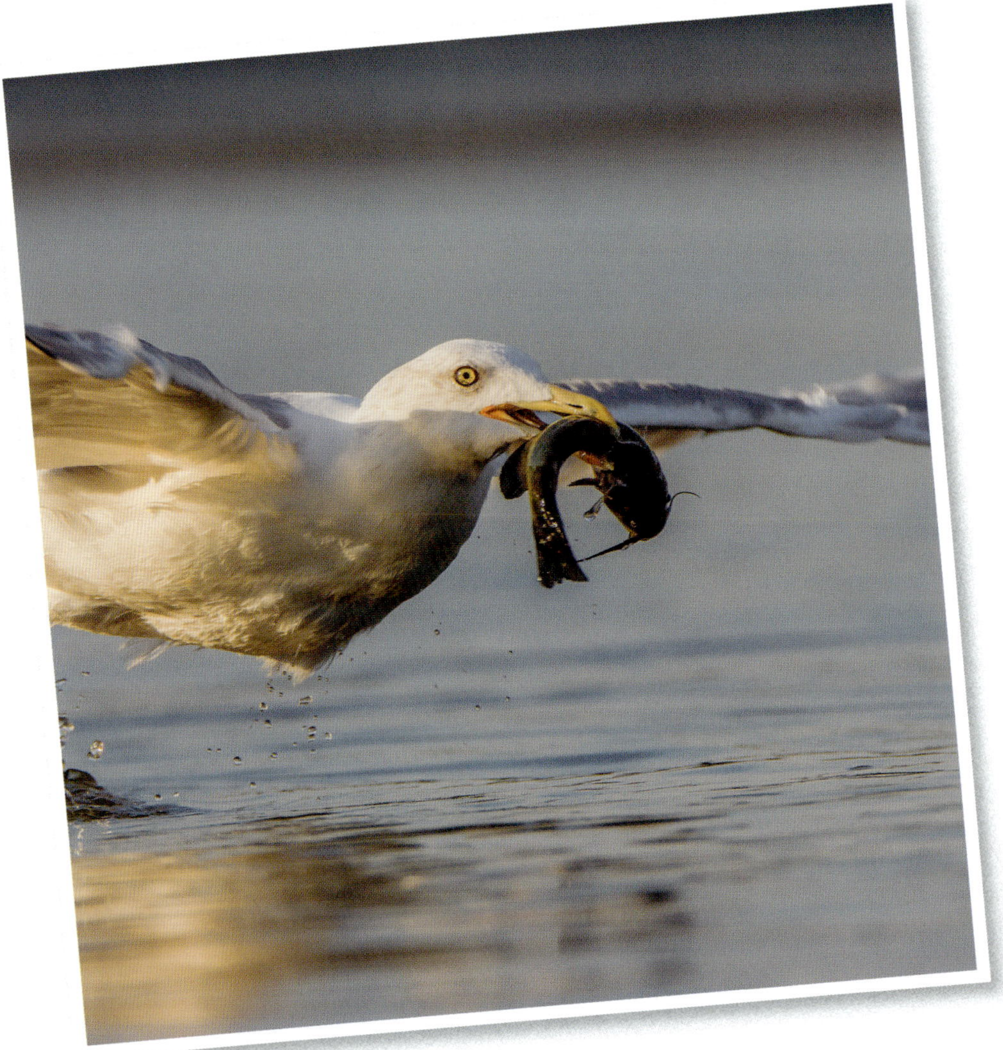